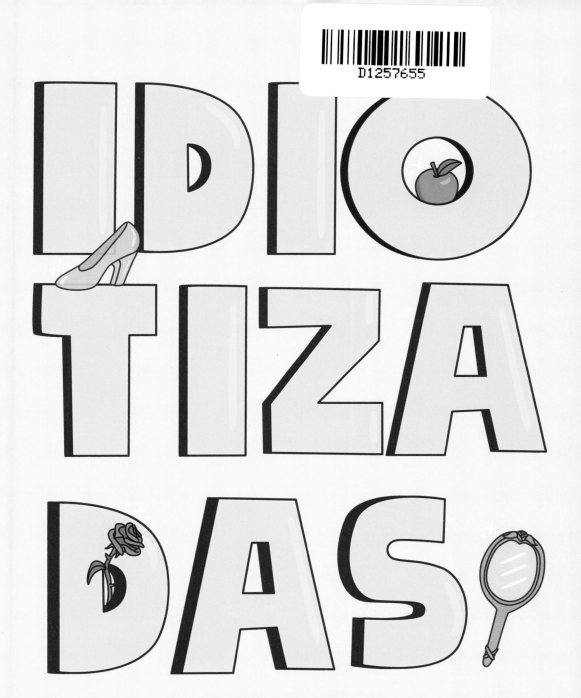

IDIOTIZADAS

MODERNA DE PUEBLO

zenith

Primera edición: noviembre de 2017
Séptima impresión: junio de 2018

Ilustraciones: Raquel Córcoles
Idea y argumento: Raquel Córcoles
Guión: Raquel Córcoles y Carlos Carrero

©Raquel Córcoles Moncusí, 2017

©Editorial Planeta, S. A., 2017
Zenith es un sello editorial de Editorial Planeta, S.A.
Avda. Diagonal, 662-664, 08034 Barcelona (España)
www.zenitheditorial.com
www.planetadelibros.com

ISBN: 978-84-08-17688-6
Depósito legal: B. 15.587 - 2017
Fotocomposición: gama, sl.
Impresión y encuadernación: Gráficas Estella, S.L.

Impreso en España - Printed in Spain

El papel utilizado para la impresión de este libro es cien por cien libre de cloro y está calificado como
papel ecológico.

A mis amigas y fuente de inspiración, por ser las que
me han desidiotizado y lo siguen haciendo.

Sandra   ✳ Marta

                          ✳
Elena   ✳ Clara   Eixchelt
  ✳
        Sara ✳
                    ✳ Neus

Y a todas las mujeres que rescatan a otras.

ÉRASE UNA VEZ

otra historia que empezaba
con "érase una vez".

La cuestión es que, hace mucho mucho tiempo
(cuando tenías que colgar el teléfono
para poder conectarte a internet),
en un pueblo random
(bonito, tranquilo y algo aburrido),
vivía una niña como cualquier otra.

casa
de la 'prota'

DONG

CRECIÓ RODEADA DE LAS CLÁSICAS DISTRACCIONES
PARA UNA NIÑA DE SU EDAD:

una rubia oxigenada de talla 32

un bebé que llora y mea al que hay que alimentar

y un teléfono que le enseñaba a esperar con ansias la llamada de un chico.

PERO ENTRE TODOS ESOS JUEGOS TAN CONSTRUCTIVOS, SU PASATIEMPO FAVORITO ERA RELEER, UNA Y OTRA VEZ, SUS CUENTOS DE PRINCESAS.

DESPUÉS DE TODO,
SU MADRE SEGUÍA SIENDO LA

Cenicienta

DEL PRINCIPIO DEL CUENTO.

PENSANDO
QUE ASÍ POR
FIN SERÍA LIBRE
YA QUE NO
TENDRÍA QUE
OBEDECERLES.

YO ME CASÉ PARA
PODER IRME DE
CASA DE MIS PADRES,
ESTABA PROHIBIDO
VIVIR "EN PECADO".

PERO PASÉ A
TENER QUE
OBEDECER A
MI MARIDO.

HABÍA HECHO LO
QUE SUS PADRES
ESPERABAN DE ELLA:
CASARSE A LOS 20
Y AL POCO TIEMPO
DEJAR SU TRABAJO
PARA SER AMA DE CASA
Y CRIAR A SUS HIJAS.

PERO CUANDO A LOS 18 AÑOS
LE LLEGÓ SU PRIMERA GRAN OPORTUNIDAD...

¡YA HAN SALIDO LAS BECAS!

CALMA
CALMA
CALMA

Becas movilidad

CONCE DIDA.

...SE ENCONTRÓ CON UN GRAN DILEMA.

NO TE VAYAS, POR FAVOR.
NO COJAS ESA BECA Y QUÉDATE CONMIGO.

¿TE ESTÁS QUEDANDO CONMIGO?

HECHIZO N°1
«El amor encontrarás y tu vida dejarás.»

UY, UY, QUÉ MAL PINTA ESTO...

AHOR ♥♡♡♡♡

ESTÁS A PUNTO DE COMETER EL PEOR ERROR DE TU VIDA MUDÁNDOTE A VIVIR CON TU NOVIO. HÁRCATE UN GHOSTING Y QUÉDATE CON TU AMIGA.

TE LO ESTÁS INVENTANDO.

NO EXACTAMENTE. ¿QUIÉN TE CONOCE MEJOR? LA BECARIA FRUSTRADA QUE ESCRIBE EL HORÓSCOPO O TU MEJOR AMIGA, BFF, BESTIE O COMO ME QUIERAS LLAMAR?

FSSS

ADEMÁS, TENGO UN SEXTO SENTIDO ESPIRITUAL.

POR EJEMPLO:

NUNCA EN MI VIDA ME HE ACOSTADO CON UN TÍO QUE LA TUVIERA PEQUEÑA.

¿NOS TOMAMOS LA ÚLTIMA EN TU CASA?

PLUTÓN ME COMUNICA QUE TIENE...

¡POLLÓN!

¡OK!

A UNO POR FINDE, ESTÁ CLARO QUE TENGO PODERES.

Y AHORA PRESIENTO QUE LA ESTÁS CAGANDO. SOY UN POCO BRUJA.

VAYA CON LA PITO-NISA.

¿SOLO UN POCO?

Este medicamento contiene DOPAMINA y puede provocar efectos secundarios:

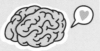

♥ Abandono de tu vida personal para estar con la persona amada.
♥ Toma de decisiones estúpidas (por ejemplo, mudarte a las afueras).
♥ Idiotización generalizada (hacer todo aquello que dijiste que nunca harías).

QUIEN SE ENCARGA DE PRODUCIRLA ES EL SISTEMA NERVIOSO. | Veamos a mis neuronas el día del primer chute:

HOY, EN 'PONTE EN MIS CARNES'

GENTE 'PORTU'

TE LO DIGO POR TU BIEN.

Tikitik
Tikitik
Tikitik

...

PAGO ACEPTADO
RETIRE LA TARJETA

¿PUEDO DECIRTE UNA COSA?

SI ADELGAZARAS, NO NECESITARÍAS ESE LIBRO. ERES MUY GUAPA DE CARA.

QUIZÁ DEBERÍA LLEVARME ALGÚN LIBRO ROLLO 'CÓMO PERDER 20 KILOS EN 2 DÍAS' PARA DEJAR DE COMERME COMENTARIOS COMO EL SUYO.

¡CLARO! ¡ESTÁ MUY BIEN!

CÓMO PERDER 20 KILOS EN 2 DÍAS
DEL AUTOR DE 'OBESA POR SORPRESA'

HAY QUE JODERSE...

MI AMIGA YA NO ERA LA QUE CONOCÍ Y SENTÍA QUE CONMIGO SE REPETÍA LA HISTORIA.

MIENTRAS ELLA ERA ESPECIALISTA EN ENCONTRAR GANGAS DE DÍA...

LA TRANSFORMACIÓN FUE RÁPIDA.
YO, YO, YO...
DEJA QUE TE EXPLIQUE
MI VISIÓN DEL MUNDO BLA BLA
MI IMPORTANTE OPINIÓN SOBRE BLA BLA
YO CREO, YO DIRÍA, LO QUE YO HARÍA, YO, YO...
TÚ...
LO QUE TÚ QUIERAS, LO QUE TÚ OPINES, LO QUE TÚ DIGAS, SOLO ME IMPORTAS TÚ...
PRIMERO PERDIÓ SU VOZ.
VAMOS A VER EL NUEVO CAPÍTULO DE 'GIRLS'. ¿TE APUNTAS?
UF, ES QUE NO TRAGO A LENA DUNHAM. QUÉ OBSESIÓN POR SALIR DESNUDA SIEMPRE, ¡QUÉ GANAS DE LLAMAR LA ATENCIÓN!
CRUNCH
MUER MAID
BEST PILLOW EVER
1,2,3, SPLASH
ZZZ
PERO SI ERA SÚPER FAN...

HECHIZO Nº 2

«Un príncipe llegará y tu mente idiotizará.»

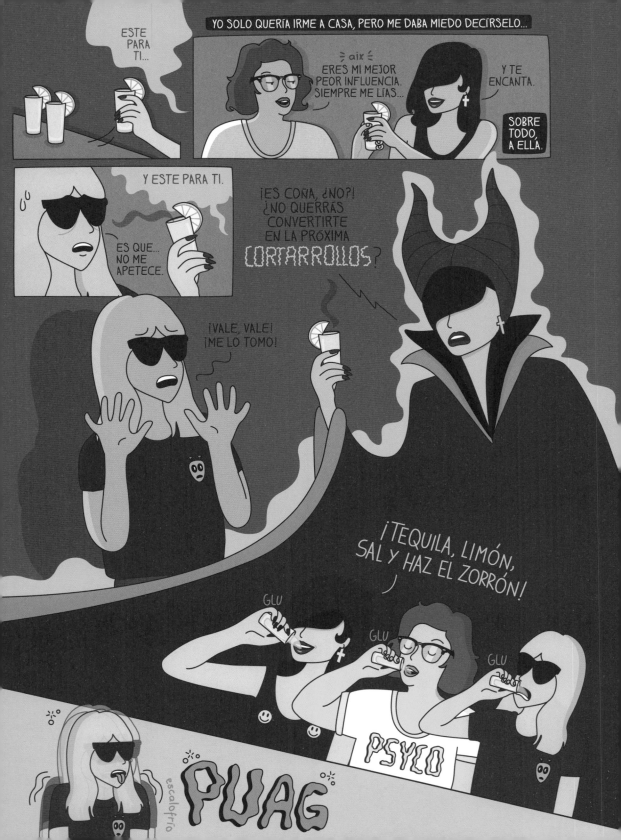

ESE LUGAR AL QUE TANTAS VECES LAS HABÍA ARRASTRADO YO A ELLAS YA NO ME RESULTABA NADA PROMETEDOR.

PEREZA MÁXIMA

FINGE QUE TE LO PASAS BIEN HASTA LAS 6H

GARRAFÓN & RESACÓN GARANTIZADOS

LOS HITS TÍOS MÁS PEGADIZOS

¡CORRE, VETE ANTES DE QUE EL METRO SE CONVIERTA EN CALABAZA!

OTRA QUE NOS ABANDONA.

¡POR FIN!

EL CARRUAJE ME LLEVÓ A MI ANSIADO DESTINO, PERO UNA VEZ AHÍ, ME CONVERTÍ EN LA BELLA INSOMNE.

HECHIZO Nº 3

«¡Si dejas tu cuerpo tocar, en zorra te convertirás!»

JUSTO CUANDO YO INTENTABA CONSTRUIR MI VIDA JUNTO A UN HOMBRE, MI MADRE SE HABÍA DIVORCIADO DEL SUYO. LLEVABA UN AÑO DURMIENDO SOLA, PERO MUCHAS NOCHES LA ASALTABAN SUS RECURRENTES PESADILLAS.
MIENTRAS MI PADRE SE ECHABA LA SIESTA, ELLA LE PLANCHABA LAS CAMISAS.
MALDITOS PUÑOS... LOS ODIO.
FSSSS
DE REPENTE, LE LLAMABA SU HERMANA.
RING
¡HE HABLADO CON MAMÁ Y SE LO HE DICHO! QUE POR QUÉ A NUESTROS HERMANOS LES PAGARON UNOS BUENOS ESTUDIOS Y LES AYUDARON A MONTAR UN NEGOCIO Y A NOSOTRAS ¡NADA! ¡A CASARNOS Y YA!
ZZZ
LA PLANCHA...
BAMBI Y LOLI
Y SE DISTRAÍA HASTA QUE YA ERA DEMASIADO TARDE.
COF COF COF
¡MI MARIDO, MI CASA!
¡LO HE PERDIDO TODO!

VI LA HORA Y LUGAR EN UN FORO DE INTERNET Y, COMO NO TENÍA PLAN, DECIDÍ IR A VER QUÉ TAL...

HA-LLE-GA-DO-A-SU-DES-TI-NO.

¡DIOS MÍO!

SINGLE A LOS 50

SALSA DISCO   SALSA DISCO

¡Si parece un puticlub!

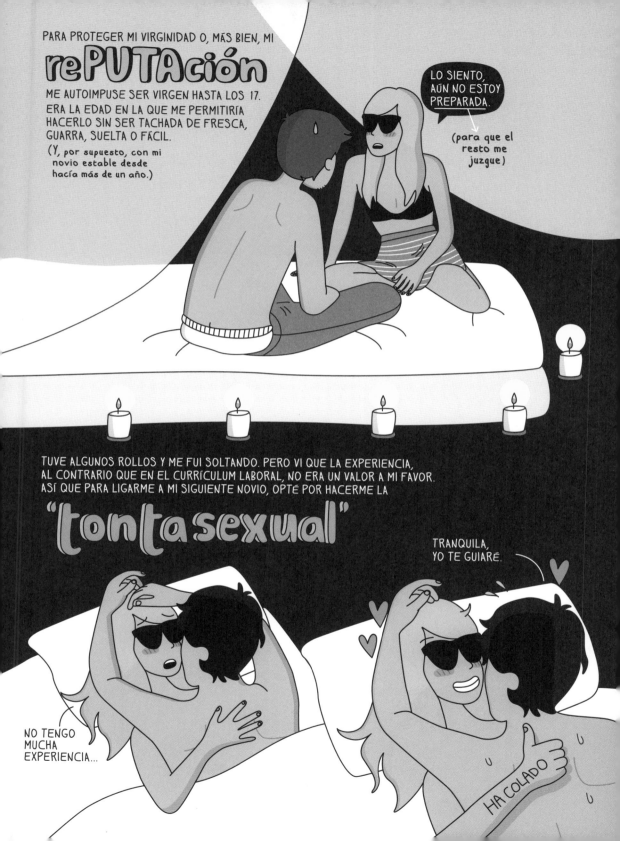

HACE 7 AÑOS
PERO EMPECÉ A CAMBIAR CUANDO LA CONOCÍ A ELLA.
COINCIDIMOS EN LA UNIVERSIDAD Y AL POCO TIEMPO ME DIJO QUE HABÍA ENCONTRADO UN PISO GENIAL EN EL CENTRO Y QUE BUSCABA COMPAÑERA. YO, QUE DESDE QUE PISÉ LA CIUDAD HABÍA QUERIDO VIVIR EN EL BARRIO MODERNO, ME FUI DE CABEZA.
YA LO HE VACIADO TODO, YO ME MUDO A LA SUITE.
QUITA LO DE LA PARED SI QUIERES, LO PINTÉ UN DÍA BORRACHA.
GRL PWR
NO, ME GUSTA.
WTF
MY PUSSY MY CHOICE
¡Y CAMA DOBLE! ¡ESPERO QUE LA AMORTICES CON MUCHOS LIGUES!
BUENO, ES QUE YO NO SOY DE ESAS...
¿DE ESAS CÓMO? ¿COMO YO?
MY PUSSY MY CHOICE
¡NO, NO!
QUERÍA DECIR QUE NO SOY DE LÍOS DE UNA NOCHE. NUNCA LO HE HECHO, VAYA.
ESO TIENE FÁCIL SOLUCIÓN, CADA NOCHE CUANDO SALGA DE CURRAR EN LA RADIO, SALIMOS.
The Big Penis Book
POR CIERTO, TENGO QUE PEDIRTE UN FAVORCILLO PARA MI PROGRAMA...
WTF

ESE MISMO DÍA, ME CONTÓ SU HISTORIA:
Zorricienta
Había una vez, una bella joven de 16 años que vivía feliz en una pequeña aldea. Ese día se despertó especialmente contenta. Se celebraba el gran baile del instituto y llevaba semanas deseando que llegara el gran día.
PIU PIU
HACE UN DÍA ESPLÉNDIDO, ¿NO CANTAS?
BOSTEZO
EL ÚNICO QUE CANTA POR LAS MAÑANAS ES MI ALIENTO, AMIGO.

Estaba segura de que esa noche se completaría la historia con ese
rollito inconcluso

Se pasó el día rebuscando
entre la ropa vintage de su
madre, sin mucho éxito.

SE LLAMA FASHION-HADA, ¿NO LA SEGUÍS?

YO ES QUE SOY MÁS DE TWITTER.

¡VENGA, DALE!

PLAY

NO SÉ YO SI ESTO FUNCIONARÁ, PERO MEJOR PROBARLO QUE IR EN CHANCLETAS AL BAILE.

¡SALUDOS, MIS HECHIZADAS! ♡

¿NO SABES QUÉ PONERTE ESTA NOCHE Y YA LLEGAS TARDE? CALMA, UNA VEZ MÁS, ¡VENGO A SALVARTE LA VIDA!

¡SAL AL AIRE LIBRE PARA EVITAR ESTROPICIOS Y SUBE EL VOLUMEN!

FASHION-HADA: HECHIZO PARA OUTFIT DE NOCHE

Suscribirse 123 K   4.345.255 visualizaciones

👍 5.443 💬 1.160

QUE EMPIECE LA MAGIA...

¡Para un buen outfit llevar, de mí te debes fiar!

Fuera esos harapos que solo atraen sapos.

...un vestidazo que te dé rollazo...

...mejor botín bajo que taconazo.

PiU Piiiiiiiu

Pasada de cuchilla, medias de rejilla.

...y un poco de blush en la mejilla.

¡Labio rojo, rabillo en el ojo y solo con verte me mojo!

clinc

Cuando llegó, estaba tan deslumbrante que no solo captó la atención de su pretendiente.
EL +BUENORRO DEL INSTI
(Era un curso mayor y todas hacían cola para ser su elegida.)
MUAC
BLA BLA BLA BLA
QUÉ TONTERÍAS DICE PERO QUÉ BUENO ESTÁ...
EN MENOS DE MEDIA HORA YA SE ESTABAN COMIENDO LA PISTA.
MUAC MUAC
Y AL POCO RATO YA SE ESTABAN COMIENDO LOS MORROS.

MUDARME CON ELLA FUE COMO ENTRAR EN UNA SERIE, CADA DÍA ERA UN NUEVO Y EMOCIONANTE CAPÍTULO.

PISO DE SOLTERAS
ORIGINAL DE **NETFLIX**

HASTA QUE EL AMOR LAS SEPARE

Un grupo de chicas conviven juntas en un piso en la ciudad afrontando como un equipo los 'dramedias' del día a día.

▶ VIVIR AHORA

Temporada 1
Temporada 2
Temporada 3
Temporada 4

1 El encuentro
Moderna y Zorricienta se topan en la universidad y se van a vivir juntas sin apenas conocerse.

2 La nueva
Deciden alquilar la habitación-trastero porque van mal de pasta y, después de entrevistar a todo tipo de raros, encuentran a la mejor candidata.

3 La beca
Moderna está a punto de perder una beca porque tiene el DNI caducado. Sus amigas la acompañarán a comisaría y montarán un pollo para renovarlo.

13 Copas gratis
Zorricienta empieza a trabajar en un bar y sus amigas no se mueven de la barra. Jefe y amigas borrachas nunca son un buen combinado.

14 El vecino acosador
Un nuevo vecino que conocen en el rellano no para de pasar a visitarlas y trazan un plan para deshacerse de él.

15 La meada
Durante una noche de fiesta, un tío se pone a mear a su lado. Tras ignorarlas cuando le piden que pare, una de ellas decide mearle en los pies.

PERO DESDE QUE HABÍA DEJADO EL PISO ME SENTÍA UN TRISTE PERSONAJE SECUNDARIO. O ¡PEOR AÚN! UNA MERA ESPECTADORA.

PUP

PROSTÍBULO SOL CALIENTE, ¿QUIÉN ES?

YOOOOO

¡TRAIGO VINO Y JUMPERS, COMO EN LOS VIEJOS TIEMPOS!

¿VIEJOS?

HECHIZO Nº 4

«¡Bella y delgada serás o nada en la vida conseguirás!»

Y NO SOLO EN EL CAMPO AMOROSO.

SALE

TIENES QUE SENTIRTE

GUAPA & SEGURA

¿EL JUEVES TIENES LA ENTREVISTA PARA LAS PRÁCTICAS?

VAMOS A COMPRARTE ALGO DE ROPA NUEVA.

Y TE PEDIMOS HORA EN LA PELUQUERÍA.

50%
40%

PARECÍA QUE LA SEGURIDAD EN UNA MISMA GIRARA EN TORNO A LO GUAPA QUE TE SINTIERAS.

¡ESTÁS GUAPÍ-SIMA!

GUAAAU INCRE-ÍBLE

¡ESPEC-TACU-LAR!

¿TE APETECE QUE VAYAMOS DANDO UN PASEO?

¿NO HAS VISTO LOS TACONES QUE LLEVO? ·THESE BOOTS AREN·T MADE FOR WALKING·.

COMO CONSECUENCIA, QUEDÁBAMOS ENGANCHADAS A INVERTIR TIEMPO, DINERO Y SOPORTAR INCOMODIDADES PARA CONSEGUIR UNA REAFIRMACIÓN CONSTANTE, COMO YONKIS DEL PIROPO.

VAYA ROLLO.

¿¿CÓMO NO ME HE DADO CUENTA?!

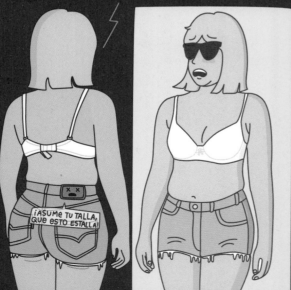

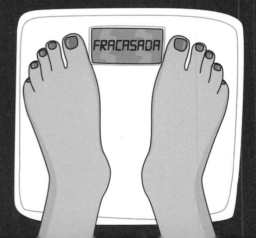

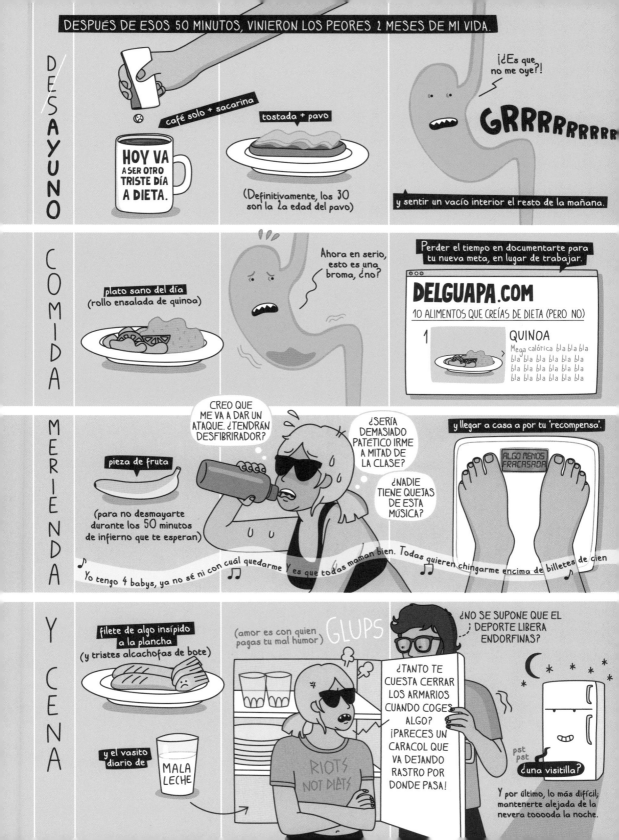

LO QUE MÁS ME INDIGNABA ES QUE MIENTRAS YO ME MATABA A SUDAR PARA RECUPERAR MI AUTOESTIMA, A ÉL SE LA SUDABA COMPLETAMENTE.

HOY ME ENCONTRÉ A UN VIEJO AMIGO

CÓMO TE HAS PUESTO, ¿EH?

LA BUENA VIDA, YA SABES... JE JE JE

PLAS PLAS

Y EL CABRÓN HA ESTADO TODO EL RATO METIÉNDOSE CONMIGO PORQUE HE ENGORDADO.

ÑAM ÑAM

∞ KCAL

Frütz

RACA RACA

ME DICE ESO UNA AMIGA Y LA MATO.

PERO MIRA ÉL, TAN FELIZ Y TRANQUILO

CURVA DE LA FELICIDAD LA LLAMAN...

¿CÓMO PUEDE DARLE TAN IGUAL?

¿PODRÍAS DEJAR DE RASCARTE TUS PARTES EN MI CARA? ¿ME VES A MÍ HACERLO?

¡TENGO UNA IDEA! ¿POR QUÉ NO PASAS DEL GYM Y SALIMOS A CENAR, DESCONECTAMOS UN RATO, NOS TOMAMOS UN VINITO... Y NOS RELAJAMOS UN POCO?

¿ES QUE A TI SOLO SE TE OCURREN PLANES DE COMER Y BEBER?

Frütz

¡PERO SI YA HAS PERDIDO UN MONTÓN, ESTÁS GENIAL!

NO LO BASTANTE, ¡QUIERO ESTAR COMO ANTES!

¿ANTES CUÁNDO?

Frütz

¡ANTES DE CONOCERTE!

¡TÚ ME ENGORDAS!

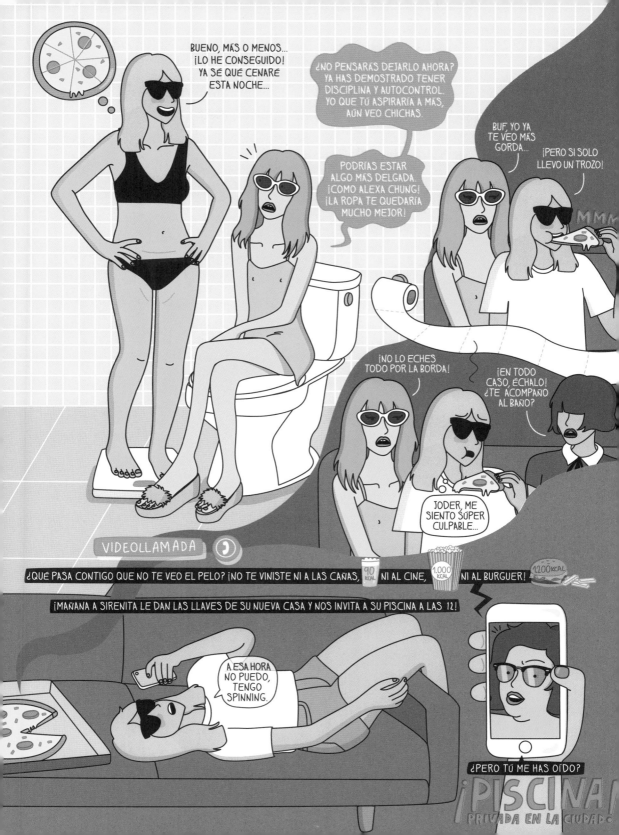

¡QUÉ GANAS TENÍA DE QUE OS CONOCIERAIS! ¡OS VAIS A LLEVAR TAAAAAAAAAAAAAAN BIEN!

¿QUIÉN ES ESTA? ¿BARBIE MALIBÚ?

¿Y ESTA "MACHORRA" DE DÓNDE SALE?

GIRLS DON'T CRY

SISTER HOOD

ME HIZO DEJAR DE GENERALIZAR SOBRE LOS GÉNEROS.

ES QUE LAS MUJERES, A DIFERENCIA DE LOS TÍOS, SOMOS MÁS...

SHHHT

HABLA POR TI.

(Y una buena prueba éramos nosotras dos, que no teníamos nada que ver.)

A MÍ ME PARECÍA INSÓLITO QUE NO SE PREOCUPARA NADA POR "SACARSE PARTIDO"

¿QUÉ TAL?

WOOOW

¡ME GUSTA!

ME CRECÍ TANTO COMO LOS PELOS DE SUS PIERNAS

¿HAS PROBADO LAS LENTILLAS?

¿TE ACOMPAÑO DE COMPRAS?

¿TE HAGO LA CERA?

TE ESTÁS PASANDO UN

PELÍN

Había visto demasiadas pelis 'made in USA' en las que la chica se quita el peto y las gafas y la gente se queda patidifusa.

AUNQUE NO HABÍA FALTADO NI UN DÍA, MI QUERIDA Y MANIPULADORA AMIGA CONSIGUIÓ QUE ME SALTARA SPINNING PARA IR A LA PISCINA.
ERA DIFÍCIL MEJORAR ESTE PLANAZO PERO...
TACHÁÁÁÁN
CERVECITA FRESCA PARA TODAS, UNA SIN ALCOHOL PARA LA EMBARAZADA. ¡ES QUE PIENSO EN TODO!
¡GENIAL, LLEVO TANTO SIN BEBER QUE HASTA LA 'SIN' ME SUBE!
YO NO PUEDO. SIGO A DIETA.
LO GUAY DE ESTAR EMBARAZADA ES QUE PUEDES ENGORDAR CON TOTAL IMPUNIDAD. ¡PERO CREO QUE ME HE PASADO, ESTOY FATAL!
¿QUÉ DICES? ¡YO TE VEO MEJOR QUE NUNCA, ESTÁS TONTA!
MIRA QUIÉN HABLA, LA ANORÉXICA QUE HA PERDIDO 10 KILOS Y QUIERE PERDER 10 MÁS.
NO EXAGERES. SOLO QUIERO PERDER 2 O 3 KILOS MÁS ¡ME TOCA OTRO MESECITO DE ESTAR OUT Y YA ESTÁ.
COMO MUCHO 5 O 6 KILOS MÁS...

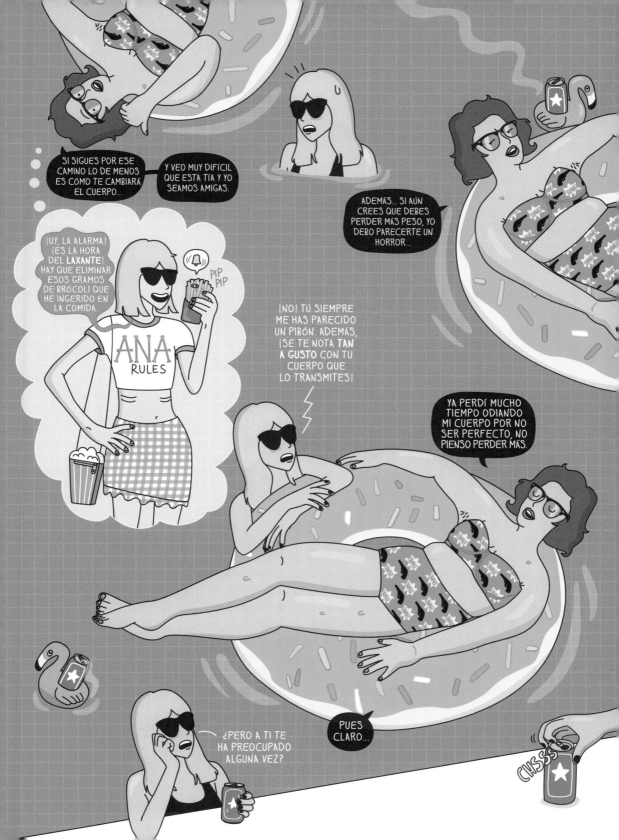

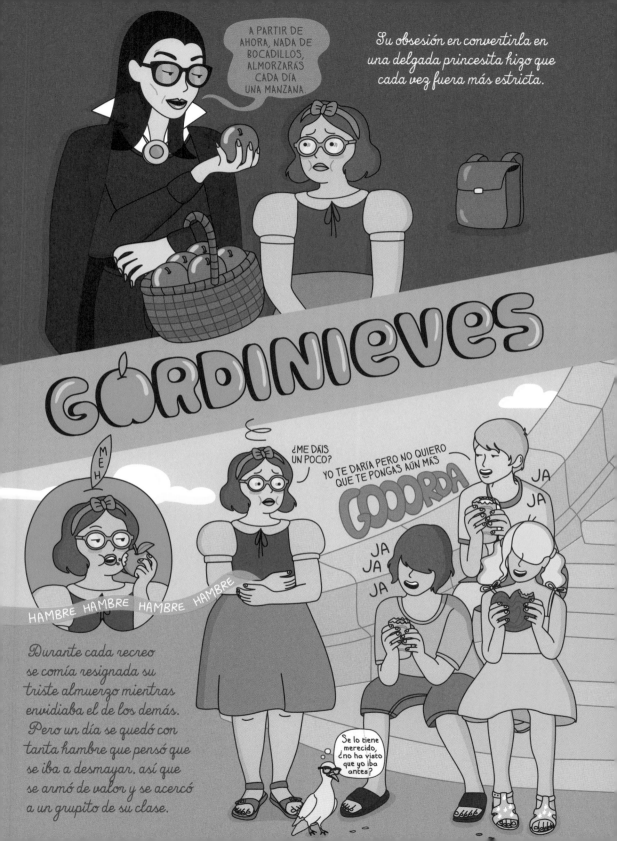

A los 18 años, Gordinieves no se había quitado de encima ni las burlas, ni los kilos, ni a su madre, que seguía tramando planes maléficos, como regalarle el espejo más macabro del mercado.

Cada mañana el espejo se dedicaba a mostrarle todas sus imperfecciones.

Y así pasó todos sus días, hasta que tuvo que mudarse a un lejano lugar para ir a la universidad.
pisoscompartidos.com
Somos 7 chicos y nos gustaría que nuestra nueva compi fuera una chica. No se adminten perros ni gatos, no porque no nos gusten ¡sino porque ya somos muchos!
SI NO ADMITEN GATOS NI PERROS TAMPOCO QUERRÁN A UNA FOCA.
DEJA DE ESCUCHARLE, ¿DE QUÉ TE HA SERVIDO TODO ESTE TIEMPO? ¡TIENES QUE INTENTARLO! ¿O QUIERES VOLVER A ESA CASA?
HOLIIIIIIIIIIII
Cuando llegó a casa de los 7, nadie la echó por gorda, ni notó miradas a su deforme cuerpo.
¡POR FIN UNA MUJER QUE RESPONDE AL ANUNCIO!
¡Y VAYA MUJER!
COMO SOMOS 7 TÍOS TODAS SE ASUSTAN, CREEN QUE BUSCAMOS A UNA BLANCANIEVES QUE NOS HAGA DE CHACHA...
¡BLANCANIEVES Y LOS 7 HOMOS!
PERO, ¡TRANQUIL SOMOS MUY LIMP Y NOS SABEMOS CUIDAR SOLOS
¡PASA, QUE TE ENSEÑAMOS NUESTRA CASITA!
¡¡Y QUÍTATE ESE CHAQUETÓN, QUE HACE UN DÍA ESPLÉNDIDO!!

Y AUNQUE ESE DÍA DECIDÍ GUARDAR APARTE LOS PANTALONES
QUE HACÍA TIEMPO QUE NO ERAN DE MI TALLA...

...NO ES TAN FÁCIL DEJAR DE SOÑAR CON CUENTOS DE DELGADAS.

HECHIZO Nº5

«¡Por el altar pasarás y tu vida solucionarás!»

EN ESOS MOMENTOS SOLO SE PODÍA HUIR Y DEJARLA CON SUS PARANOIAS HASTA QUE SE CALMARA.
HAS DESTRUIDO TU FAMILIA POR EGOÍSMO. ¡TENÍAS QUE HABER AGUANTADO!
EN EL PUEBLO TODOS TE VEN COMO UNA DESGRACIADA... PORQUE LO ERES...
EL DINERO DEL DIVORCIO ES COMO TU MATRIMONIO... NO DURARÁ PARA SIEMPRE... ¿QUÉ HARÁS DESPUÉS?
¿CREES QUE ENCONTRARÁS A ALGUIEN A TU EDAD? ¿TÚ TE HAS VISTO? MORIRÁS SOLA...
ASÚMELO Y ADÓPTANOS... AL FIN Y AL CABO, YA ERES UNA
LOCA DE LOS GATOS.

Y AHORA QUE SABÍA CÓMO ACABABA EL CUENTO, NO PODÍA SOPORTAR VER A MI AMIGA CAER EN LA MISMA TRAMPA.

HACE 4 MESES

¡POR FIN ME HAN DADO LA BAJA! SUERTE PORQUE YA NO PODÍA MÁS CON ESTA BARRIGA, Y ENTRE LOS PREPARATIVOS Y LAS CLASES PREPARTO YA NO DABA PARA MÁS.

HACE 2 MESES

HE PENSADO QUE DESPUÉS DE LA BAJA VOY A PEDIR LA JORNADA REDUCIDA, PORQUE NO VOY A PODER CON TODO.

¡Oh! ¡Pero qué monada!

AQUÍ ESTÁ EL CULPABLE DE TODO.

A VECES ME DESQUICIA, PERO CUANDO LE VES LA CARITA, LO COMPENSA TODO.

CUCHI CUCHI

HECHIZO N°6

«¡La mujer de tus sueños esperarás y por su belleza la reconocerás!»

LA HISTORIA YA VENÍA DE LEJOS.

BELLO SALIÓ CON LA ESPERAZNA DE CONOCER A SU PRINCESA AZUL. NO LA ENCONTRÓ, PERO ACABÓ PASANDO UNA NOCHE DE SEXO BESTIAL.

AL LLEGAR A CASA DE BELLO, SUPO QUE ALGO NO IBA BIEN.
BROOOOOOOM!
¿HELOU?
HE TRAÍDO CERVEZA Y ALGO PARA PICA...
SUERTE QUE HAS VENIDO, ¡BELLO ESTÁ DE UN MAL HUMOR!
¡SEGURO QUE TE VE Y SE LE PASA!
LLEVA TODA LA MAÑANA CON LAS CORTINAS CORRIDAS, HA VUELTO A LAS ANDADAS...
POING POING POING
EY, ¿QUÉ HACES?
¡¿ESTÁS... CHATEANDO CON TÍAS?!
¿ALGÚN PROBLEMA? NUNCA HEMOS DICHO QUE LO NUESTRO FUERA "EXCLUSIVO".
DE MOMENTO HE QUEDADO CON UNA PARA SALIR, TÚ TAMBIÉN DEBERÍAS VER A OTROS...
¡NO ERES MI NOVIA!

HECHIZO Nº7

«¡De ser madre no podrás escapar porque en tu destino escrito está!»

Érase una vez, una niña que tuvo la suerte de nacer rodeada de empoderhadas.
Para mantener la tradición, su madre las reunió a todas para celebrarlo
y que pudieran darle su regalo en forma de _hechizo_.

ENCONTRARME CON EL CLÁSICO GILIPOLLAS AÚN ME DIO MÁS SENSACIÓN DE NOSTALGIA.

AUNQUE SÍ HABÍA ALGUNOS NUEVOS TIPOS DE CAPULLOS.

ACABO DE MONTAR UNA STARTUP, HE CONSEGUIDO INVERSIÓN Y...

¡NADA HA CAMBIADO!

LOS MISMOS CAPULLOS, EL AMBIENTE DE PUTIFERIO, EL DJ SNOB PINCHANDO MÚSICA QUE SOLO ÉL CONOCE...

PUES YA SABES LO QUE TOCA: ¡PUTIVUELTA!

BLA BLA TRABAJ TRABAJOTRABAJO TRABAJ TRABA JO TR AJO TR BA JO TR BA AJO TR BA JO TR BA JO TR BA JO TR AB JO TR

TRABAJO LE VA A COSTAR PILLAR CACHO ESTA NOCHE.

CAPULLO
WORKAHÓLICO

TIENE UN PUESTAZO PERO COMO SE PASA EL DÍA EN ÉL, NO SABE HABLAR DE OTRA COSA. ¿HACE FALTA EXPLICAR QUE EL ÚNICO 'WORK' QUE QUIERES OÍR POR LA NOCHE ES EL DE RIHANNA?

¡AGUANTA, YA VOY!

RESCÁTAME

(UNA BUENA PAREJA DE LIGUE HACE OJEADAS A SU COMPAÑERA CADA 5 MINUTOS Y DETECTA DE INMEDIATO LA MIRADA DE AUXILIO.)

Y SIGUIENDO CON LOS CAMBIOS: SI CON 25 AÚN ME PEDÍAN EL D.N.I. EN LA PUERTA, AHORA ERA YO QUIEN TENÍA LA NECESIDAD DE PEDIRLO.

HOLA, REINAS...

¿¡NOS ESTÁ ENTRANDO!? ¡PERO SI ESTE CRÍO AÚN NO SABE QUE LOS REYES SON LOS PADRES!

¡SI ESTOS SON LOS MEJORES! AÚN CONFUNDEN SEXO CON AMOR Y ECHAN LOS POLVOS CON SENTIMIENTO.

SI NO TE VAN LOS YOGURINES, TAMBIÉN ESTÁN LOS MADURITOS INTERESANTES.

MIRA A ESE PEINACANAS, CON SUS PINTAS DE ATORMENTADO.

Madurito
TORTURADO

Las autoridades advierten de que estar con él perjudica la salud mental.

CON LA MIRADA PERDIDA, DESCONSOLADO POR LA ÚLTIMA MUJER QUE HA PERDIDO...

CON SU PECHOLOBO SENSUAL, RENEGANDO DEL METROSEXUAL.

Y TAN SOLO COMO EL WHISKY QUE TOMA.

NOS ESTÁ MIRANDOO...

GLU

OYE, PUES TIENE SU PUNTO...

PERO CUANDO MR. MISTERIOSO ABRIÓ LA BOCA, NO NOS DEJÓ SIN ALIENTO, PRECISAMENTE...

HOLA

¡ADIÓS!

ANTES ERA EL GUAPERAS REBELDE, PERO TANTOS AÑOS DE WHISKY, TABACO Y DROGAS LE HABÍAN DEJADO PODRIDO POR DENTRO.

CAPULLO
ILUSIONISTA

TIENE TODA LA ARTILLERÍA PARA DISPARAR LA IMAGINACIÓN DE ALGUIEN CON GANAS DE ENAMORARSE: LOOK CUIDADO AL MILÍMETRO Y DISCURSITO PERFECTAMENTE DISEÑADO PARA ILUSIONARTE. HARÁ QUE TE OLVIDES DE QUIÉN ERES Y QUÉ QUIERES, LO MANDARÁS TODO A LA MIERDA CON LA PROMESA DE VIVIR ALGO MÁGICO JUNTO A ÉL.

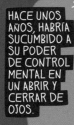

HACE UNOS AÑOS, HABRÍA SUCUMBIDO A SU PODER DE CONTROL MENTAL EN UN ABRIR Y CERRAR DE OJOS.

¡OH! ¡ERES TAN GUAY! ¡TE SEGUIRÉ A DONDE VAYAS, SERÉ TU MUSA Y VIVIREMOS UNA VIDA EMOCIONANTE! Y SI HACE FALTA, COMPRENDERÉ TU LIBERTINAJE Y LIDIARÉ CON TUS DESFASES Y TUS RESACAS.

PERO AHORA YA NO ANSIABA SER LA GROUPIE DE NADIE, TENÍA MI PROPIA VIDA.

FROTA

FROTA

CIERRA LOS OJOS Y CONFÍA EN MÍ...

TRANQUILA, NO SOY CELOSO.

VAYA CRECIDO.

EH... MIRA, ES QUE... ¡TENGO NOVIO!

POING

POING

¿TE VAS?! SI LO TENGO SÚPER **ENSAYADO**... ¡NUNCA FALLA!

DESPUÉS DE TANTAS EXPERIENCIAS ENTRE BAMBALINAS, MI CONEJO YA NO SE TRAGABA ESOS TRUCOS BARATOS.

ANTES ME PARECÍA EL PLAN MÁS DIVERTIDO Y EMOCIONANTE PARA EL FINDE
PERO SE ME HABÍAN PASADO LAS GANAS DE

RESUCITARLO.

¡SI ESTÁS CANSADA, TENGO PÓCIMAS...!
¡NO TE PUEDES IR TAN PRONTO, SI NO ES NI DE DÍA! ¡NOS HAN INVITADO A UNA AFTER EN CASA DEL DJ!
¡ESTARÁ LLENO DE INFLUENCERS Y FANTASMAS!
VAMPS

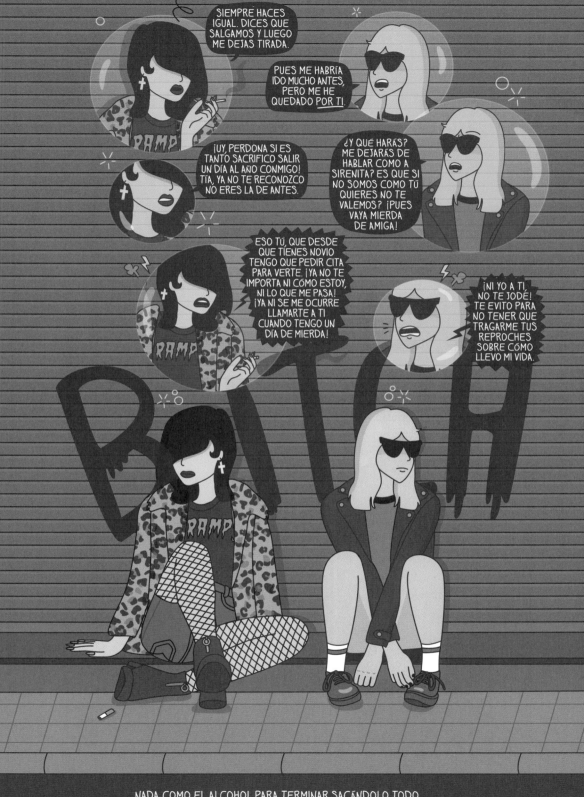

NADA COMO EL ALCOHOL PARA TERMINAR SACÁNDOLO TODO.

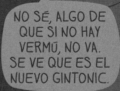

Nº 8:

Basta de
HECHIZOS

AQUÍ TIENE SU PEDIDO.

VAGA DE MIERDA...

SI NO VUELVE, PEOR PARA ÉL... ¿VERDAD, HIJA MÍA? SALDREMOS ADELANTE SOLAS.

OÍ LA LLAVE EN LA CERRADURA...

CLEC

ADOPTÉ RÁPIDAMENTE UNA POSE DIGNA Y ME ENFRENTÉ AL

DUELO DE MIRADAS

EL MOMENTO DECISIVO EN EL REENCUENTRO TRAS UNA DISCUSIÓN.

SI EN 5" NO SE HA REÍDO NINGUNO DE LOS DOS, ES QUE ES GRAVE.

AGUANTA, QUIEN RÍE ÚLTIMO, LLEVA RAZÓN.

4"

3"

NO CEDAS, QUE NO SE TE NOTE QUE SE TE ESTÁ PASANDO EL CABREO.

QUE VEA QUE NO ESTÁ EN POSICIÓN DE NEGOCIAR.

2"

1"

AÚN TENGO MOTIVOS. NO PERMITIRÉ QUE EMPIECE LA DISCUSIÓN CON VENTAJA...

Not The End

Ahora sabemos que existen muchos otros.

IDIOTIZADAS